헨리와 머지

그리고 반짝이는 나날

글 신시아 라일런트 | 그림 수시 스티븐슨

HENRY AND MUDGE IN THE SPARKLE DAYS

헬리 와 머지
그리고 반짝이는 나날

초판 발행	2021년 1월 15일
글	신시아 라일런트
그림	수시 스티븐슨
번역및콘텐츠감수	정소이 박새미 유아름
콘텐츠제작참여	최선민 선생님(충남 보령 성주초) 김수정 선생님(경기 부천 부인초)
	권재범 선생님(충남 계룡 금암초) 박은정 선생님
책임편집	정소이 박새미 김보경
디자인	모희정 김진영
저작권	김보경
마케팅	김보미 정경훈
펴낸이	이수영
펴낸곳	(주)롱테일북스
출판등록	제2015-000191호
주소	04043 서울특별시 마포구 양화로 12길 16-9(서교동) 북앤빌딩 3층
전자메일	helper@longtailbooks.co.kr
ISBN	979-11-86701-72-0 14740

롱테일북스는 (주)북하우스 퍼블리셔스의 계열사입니다.

이 도서의 국립중앙도서관 출판예정도서목록(CIP)은 서지정보유통지원시스템 홈페이지(http://seoji.nl.go.kr)와 국가자료종합목록 구축시스템(http://kolis-net.nl.go.kr)에서 이용하실 수 있습니다. (CIP 제어번호 : CIP2020053053)

Contents

반짝이는 나날

겨울이었다.

겨울!

헨리와 그의 큰 개 머지는

겨울을 몹시 좋아했는데,

왜냐하면 헨리와

그의 큰 개 머지는

눈을 무척 좋아하기 때문이었다.

이번 겨울에 그들은

첫눈이 내리기를

계속 기다리고 있었다.

헨리는 매일 아침

그의 창문 밖을 내다봤다.

"아직도 오지 않았어, 머지."

그는 말하곤 했다.

헨리는 매일 밤
그의 창문 밖을 내다봤다.
"아직도 오지 않았어, 머지."
그는 다시 말하곤 했다.

그러던 어느 날 아침
헨리는 그의 창문 밖을
내다보았고
그는 외쳤다.
"눈이야, 머지, 눈이야!"

그와 머지는 창문에

그들의 코를 갖다 대었다.

그들은 눈이 반짝이는 것을 보았다.

그들은 반짝이는 날을 위한

준비가 되어 있었다.

헨리가 밖에 나가기 위해

옷을 입었을 때,

헨리의 몸은

거의 보이지 않았다.

그는 스노 부츠를 신고,

스노 바지를 입고,

스노 재킷을 입고,

스노 장갑을 끼고,

그리고 스노 목도리를 둘렀다.

또 그는 스노 마스크를 썼는데

그것은 오로지

그의 눈과 입만 보이게 했다.

머지가 눈을 막아 줄 옷을 입은

헨리를 보았을 때,

녀석은 그 낯선 사람을 향해

짖고 또 짖고

또 짖었다.

그때 헨리가 자신의 마스크를 벗고
머지에게 그의 얼굴을 보여 주었다.
머지는 자신의 꼬리를 흔들었고
헨리를 따라 밖으로 나갔다.

눈은
헨리와 머지를
달리고 싶게 했다.
그래서, 그들은
원을 그리며
마당 주변을 뛰어다녔다.

머지는 자신의 커다란 검은 코를
눈 속으로 푹 찔렀다.

녀석은 작은 구멍을 파려고
자신의 코를 이용했다.
에취! 머지가 소리 냈다.
눈은 언제나 녀석을 재채기하게 했다.

헨리는 누워서
눈 천사들을 만들었다.
머지는 누워서
그것들을 망쳐 버렸다.

그래서 헨리는 머지에게

눈덩이를 던졌다.

하지만 머지는 그저 자신의 꼬리를 흔들 뿐이었다.

"오, 머지." 헨리가 말하면서,

녀석을 안아 주었다.

헨리는 얼음으로 된 은신처를 지었고,

그들은 눈 스파이가 되었다.

동네에는

많은 눈 스파이들이 있었다.

네 시간이나 놀고 난 뒤에,

그들은 다시 집 안으로 들어갔다.

헨리의 손은 젖었고

그의 코에서는 콧물이 뚝뚝 떨어졌다.

머지의 발은 젖었고

녀석의 코에서도 콧물이 뚝뚝 떨어졌다.

헨리의 엄마는 헨리의 코를 닦았다.

헨리의 엄마는 머지의 코도 닦았다.

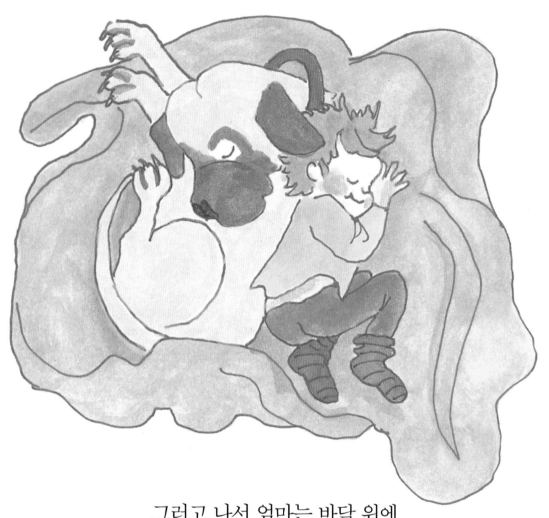

그러고 나서 엄마는 바닥 위에

담요를 깔았고,

헨리와 머지는

그 위에서 몸을 웅크리고

잠이 들었다.

오, 그들은 반짝이는 나날을

정말 좋아했다.

크리스마스 이브 저녁 식사

매해 크리스마스에

헨리의 집은 반짝였다.

그곳은 은빛으로 반짝였다.

그곳은 금빛으로 반짝였다.

그곳에는 수많은 색으로

반짝거리는

크리스마스 트리도 있었다.

크리스마스 전날,
헨리의 엄마와 아빠는
항상 요리를 많이 했다.
그들은 하루 종일 요리했고,
집에서는 아주 좋은 냄새가 났다.

헨리의 엄마는

쿠키를 굽는 것을 좋아했다.

헨리는 엄마가 그것들을 자르고

장식하는 것을 도왔다.

그녀는 그것들의 대부분을 나눠 주었다.

헨리의 아빠는

칠면조를 굽는 것을 좋아했다.

그는 그것을 "손질하는" 데

오랜 시간을 들였다.

헨리는 이것이

굉장히 웃긴 발상이라고 생각했다.

그는 머지에게 말했다.

"아빠가 칠면조에게 옷을 입히고 있어."

그리고 나서 그는 계속 킥킥거렸다.

저녁이 되자
크리스마스 이브 저녁 식사를 위한
시간이 왔다.
이 저녁 식사는 늘 고급스러웠다.
그들은 항상 부엌이 아니라
식당에서 먹었다.

그리고 그들은 차려입는 것을 좋아했다.

심지어 헨리까지도.

이때는 헨리가 고급스러운 것을 좋아하는

유일한 시간이었다.

헨리의 아빠는

선명한 붉은색 천을

식탁 위에 깔았다.

그는 반짝거리는 하얀색 접시들을

천 위에 놓았다.

헨리의 엄마는

두 개의 초록색 촛대들을

꺼내 왔다.

그녀는 그것들을

식탁 가운데에 놓았다.

그다음에 헨리의 아빠는

모든 음식을 날랐다.

헨리, 그의 엄마,

그리고 그의 아빠는

먹기 위해 자리에 앉았다.

그들은 서로를 바라보았다.

그들은 모든 음식을 바라보았다.

"우와!" 헨리가 말했다.

헨리의 엄마가 촛불을 켰고,

그들은 먹기 시작했다.

하지만 그들이 먹는 동안,

그들은 머지가 우는 소리를 들을 수 있었다.

고급스러운 크리스마스 이브 저녁 식사에

녀석은 초대받지 못했는데

왜냐하면 녀석이 개였기 때문이다.

녀석은 헨리의 방 안에 머물러야만 했다.

불쌍한 머지. 헨리가 생각했다.

불쌍한 머지. 헨리의 부모님이 생각했다.

그들은 모두 서로를 바라보았다.

그때 헨리의 아빠가 미소를 지었다.

그는 여분의 접시를

찾으려고 일어났다.

헨리와 그의 엄마

그리고 그의 아빠는

그 접시에 음식을 담았다.

그러고 나서 헨리는 자신의 방에서

머지를 내보냈다.

머지가 식탁으로 왔을 때,

헨리의 아빠는

음식이 담긴 접시를

바닥에 내려놓았다.

헨리의 엄마는

초들 가운데 하나를

접시 옆에서 잡고 있었다.

머지는 자신의 꼬리를 흔들었고

녀석이 할 수 있는 한 빨리

먹기 시작했다.

그것은 식당에서 먹는

녀석의 첫 고급 저녁 식사였다.

그것은 촛불 옆에서 먹는

녀석의 첫 고급 저녁 식사였다.

"메리 크리스마스, 머지!"

헨리가 말했다.

머지는 헨리를 바라보았고

재채기하며

그에게 고급 칠면조를 조금 뿜었다.

그리고 그들은 밤새도록

그것에 대해 생각하며 웃었다.

벽난로의 불빛

겨울밤에
헨리와 헨리의 부모님
그리고 머지는
산책하는 것을 무척 좋아했다.
그들은 집에서 나오는
따뜻한 불빛들을
보는 것을 정말 좋아했다.

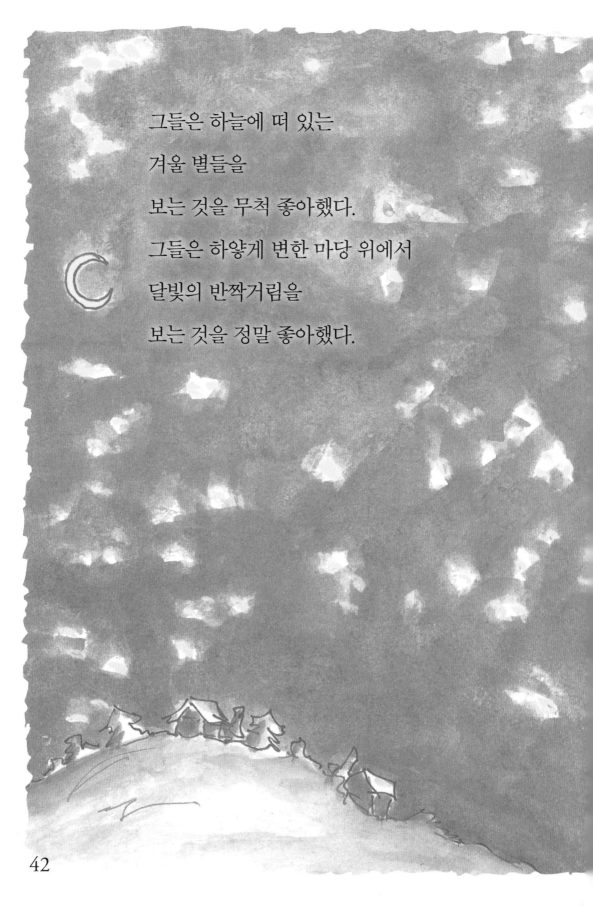

그들은 하늘에 떠 있는

겨울 별들을

보는 것을 무척 좋아했다.

그들은 하얗게 변한 마당 위에서

달빛의 반짝거림을

보는 것을 정말 좋아했다.

그들은 이런 산책을 할 때

행복하다고 느꼈다.

머지는 꼬리를 흔드는 것을 절대 멈추지 않았다.

어느 날 밤 그들은 심지어

별똥별도 보았다.

"소원을 빌어요."

헨리의 엄마가 말했다.

헨리의 아빠는

지구 평화를 빌었다.

헨리의 엄마는

자신이 좋아하는 농구팀이

우승하기를 빌었다.

헨리는 앞으로 평생

매일

초콜릿 푸딩을

먹기를 빌었다.

그들은 모두 머지가

무엇을 빌었을지 궁금해했다.

"아마 내 초콜릿 푸딩의

절반을 먹기를 빌었을 거예요."

헨리가 말했다.

산책을 마친 후,

그들은 집으로 돌아가서

그들의 벽난로를 쬐는 것을 좋아했다.

헨리의 아빠와 엄마는

서로를 안은 채, 소파에 앉았다.

헨리와 머지는

바닥에 누웠다.

장작이 탁 하는 소리와 타닥 하는 소리를 냈다.

아무도 많은 말을 하지 않았다.

그들은 그저 불꽃을 바라봤고

반짝이는 나날에 대해

생각했다.

집은 조용했고,

방은 어두웠으며,

불은 붉게 타올랐고,

모든 것이

따뜻했다.

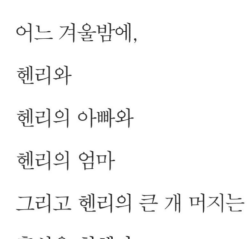

어느 겨울밤에,

헨리와

헨리의 아빠와

헨리의 엄마

그리고 헨리의 큰 개 머지는

휴식을 취했다.

Activities

영어 원서를 총 여섯 개의 파트로 나누어,
각 파트별로 다양한 액티비티를 담았습니다.

각 파트의 영어 원서 페이지는 롱테일북스에서 출간된
'롱테일 에디션'을 기준으로 합니다!
수입 원서와는 페이지 구성에 차이가 있으니 참고하세요.

VOCABULARY

겨울

winter

큰

big

눈

snow

창문

window

아침

morning

밤

night

외치다

shout

코

nose

반짝이다; 반짝거림

sparkle

옷을 입다

get dressed

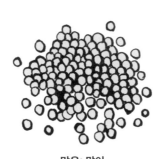

많음; 많이

much

부츠

boot

바지

pants

벙어리 장갑

mitten

스카프

scarf

복면

mask

옷

clothes

짖다

bark

51

VOCABULARY QUIZ

1 그림에 맞는 단어를 퍼즐에서 찾아 표시하고 단어를 써 보세요.

a	s	h	y	u	d	s	u	u	w	n
d	q	v	k	l	l	h	o	u	b	i
b	o	o	t	t	y	o	t	s	d	g
c	w	g	v	v	d	u	k	p	t	h
h	c	u	p	a	n	t	s	x	m	t
t	l	j	x	b	v	h	o	l	o	l
x	o	f	y	w	i	n	t	e	r	u
o	t	n	s	d	f	t	j	n	n	n
g	h	x	b	i	g	v	h	u	i	u
c	e	x	c	h	m	k	n	a	n	a
p	s	h	w	s	m	j	x	d	g	d

boot

_____

_____

_____

_____

_____

_____

_____

2 그림에 맞는 단어를 연결하고 빈칸에 알맞은 알파벳을 넣어 보세요.

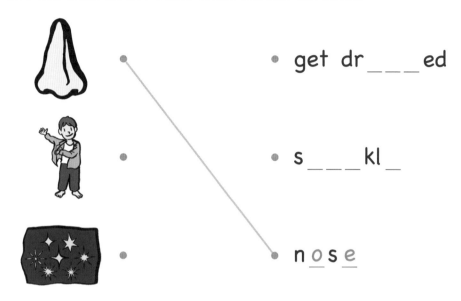

get dr____ed

s____kl_

n o s e

3 글자를 바르게 배열하여 단어를 완성해 보세요.

n i w w d o

window

e m t i t n

c m h u

o b t o

r a f s c

r a b k

k m a s

s w n o

WRAP-UP QUIZ

1 이야기의 순서에 맞게 그림을 배열해 보세요.

a

Henry covered himself all over with snow clothes except his eyes and mouth.

b

Henry was excited to see the snow falling through the window.

c

Henry looked out the window to wait for the first snow.

d

Mudge did not recognize Henry in snow clothes.

 ···▶ ···▶ ···▶

2 다음 질문에 알맞은 답을 선택해 보세요.

1) Why did Henry look out his window every morning and night?

   a. Henry was waiting for his mother.

   b. Henry was waiting for the first snow.

   c. Henry was waiting for the first rain.

2) Which piece of clothing did Henry NOT wear?

   a. Snow mittens

   b. A snow jacket

   c. A snow hat

3) Why did Mudge bark at Henry in his snow clothes?

   a. Mudge thought that a strange dog came into the house.

   b. Mudge did not know it was Henry.

   c. Mudge did not want to go outside in the snow.

3 책의 내용과 일치하면 T, 그렇지 않으면 F를 적어 보세요.

1) Henry and Mudge were waiting for snow.   _____

2) Henry got dressed to go outside.   _____

3) Henry's snow mask showed Henry's eyes only.   _____

PATTERN DRILL

Henry's mask let only his eyes and mouth show.
헨리의 마스크는 그의 눈과 입만 보이게 했다.

밖에 나가서 놀기 위해 정말 단단히 무장한 헨리. 마스크가 헨리의 눈과 입만 보이게 하는 바람에 머지가 헨리를 알아보지 못했죠. 이렇게 **"−이 ~하게 하다"**라고 말할 때는 let 다음에 사람이나 사물 등의 대상을 쓰고, 그 대상이 어떤 동작을 하는지 이어서 쓰면 돼요.

let + [대상] + [동작]: −이 ~하게 하다

We let him write the email.
우리는 그가 이메일을 쓰게 한다.

They let the car pass first.
그들은 자동차가 먼저 지나가게 한다.

Henry's mother let him lie in bed.
헨리의 엄마는 그가 침대에 눕게 했다.
＊ 지나간 일에 대해 말할 때도 let의 모습은 변하지 않아요.

The parents let the children play together.
부모님은 아이들이 함께 놀게 했다.

우리말과 뜻이 통하도록 네모 안에 들어 있는 말을 바르게 배열해 보세요.

1. 그녀의 부모님은 그녀가 학교에 걸어가게 한다.

let	walk	her	her parents	to school
~하게 하다	걸어가다	그녀	그녀의 부모님	학교에

Her parents let _____ .

2. 나는 내 머리카락이 길게 자라게 한다.

I	my hair	grow	let	long
나	내 머리카락	자라다	~하게 하다	길게

_____ .

3. 그는 그의 신발이 마르게 했다.

let	he	dry	his shoes
~하게 했다	그	마르다	그의 신발

_____ .

4. 선생님은 내가 대답하게 했다.

the teacher	let	answer	me
선생님	~하게 했다	대답하다	나

_____ .

5. 내 아버지는 내가 텔레비전을 보게 했다.

me	my father	let	watch	TV
나	내 아버지	~하게 했다	보다	텔레비전

_____ .

VOCABULARY

보여 주다

show

얼굴

face

흔들다 (과거형 wagged)

wag

꼬리

tail

달리다 (과거형 ran)

run

동그라미, 원

circle

마당

yard

파다

dig

구멍

hole

천사

angel

엉망으로 만들다

mess

눈 뭉치

snowball

동네, 이웃

neighborhood

젖은, 축축한

wet

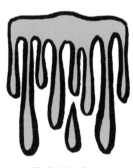

(물이) 뚝뚝 흐르는

drippy

닦다

wipe

담요

blanket

(몸을) 웅크리다

curl

VOCABULARY QUIZ

1 알파벳을 연결해서 단어를 만들고, 알맞은 그림과 연결해 보세요.

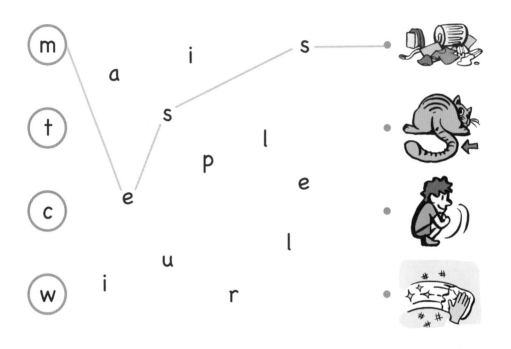

2 빈칸에 알맞은 알파벳을 넣어 단어를 완성해 보세요.

ne_i_g_h_bo_r_h_o_od   a_ _ _l   _ _g   w_ _

bl_ _k_ _t   d_ip_ _   sn_ w_ _ll   _ _t

3 그림을 보고 알맞은 단어를 넣어 퍼즐을 완성해 보세요.

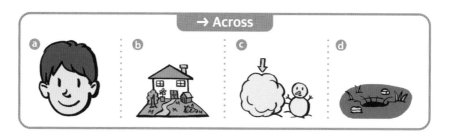

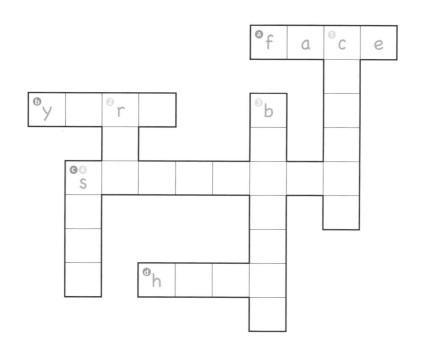

WRAP-UP QUIZ

1 이야기의 순서에 맞게 그림을 배열해 보세요.

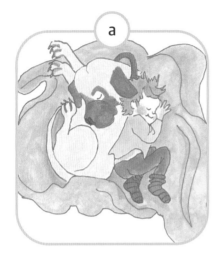

a

Henry and Mudge fell asleep on a blanket.

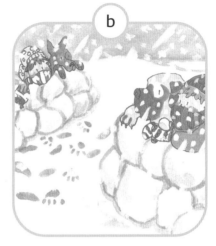

b

Henry and Mudge played with other kids in the neighborhood.

c

Henry and Mudge had fun in the snow, making snow angels.

d

After a few hours of playing, Henry and Mudge were all wet.

 ···▶ ···▶ ···▶

2 다음 질문에 알맞은 답을 선택해 보세요.

1) What did snow make Mudge do?

   a. Snow made him shine.

   b. Snow made him shake.

   c. Snow made him sneeze.

2) What happened when Henry threw a snowball at Mudge?

   a. Mudge wagged his tail.

   b. Mudge barked at Henry.

   c. Mudge shook his body all over Henry.

3) Who took care of Henry and Mudge when they went back inside?

   a. Henry's father

   b. Henry's mother

   c. Henry's friends

3 책의 내용과 일치하면 T, 그렇지 않으면 F를 적어 보세요.

1) Henry threw a snowball at his mother. _____

2) Henry and kids in the neighborhood played "snow spies." _____

3) Henry and Mudge curled up on a sofa. _____

PATTERN DRILL

Snow always made Mudge sneeze.
눈은 항상 머지를 재채기하게 했다.

눈 속에 코를 박고 구멍을 파던 머지는 갑자기 재채기를 했어요. 눈이 머지를 재채기하게 한 거예요. 이렇게 **"–이 ~하게 만들다"**, **"–이 ~하게 하다"**라고 말하고 싶을 때는 make 다음에 대상을 쓰고 동작을 나타내는 표현을 바로 이어서 써요.

make + [대상] + [동작]: –을(이) ~하게 하다

You **make** me smile.
너는 나를 미소 짓게 한다.

The policemen **made** people wait outside.
경찰관들은 사람들을 밖에서 기다리게 했다.
＊ 지난 일에 대해 말할 때 make는 made로 변해요.

My parents **made** me wash my hands.
내 부모님은 내가 내 손을 씻게 했다.

The sad news **made** him cry.
그 슬픈 소식은 그를 울게 했다.

우리말과 뜻이 통하도록 네모 안에 들어 있는 말을 바르게 배열해 보세요.

1. 내 친구들은 나를 웃게 한다.

make	laugh	me	my friends
~하게 하다	웃다	나	내 친구들

My friends make

-- .

2. 그 노래들은 그녀를 잠들게 한다.

fall asleep	the songs	her	make
잠들다	그 노래들	그녀	~하게 하다

-- .

3. 그 냄새는 머지를 침 흘리게 했다.

the smell	Mudge	drool	made
그 냄새	머지	침 흘리다	~하게 했다

-- .

4. 폭우는 우리가 우리의 계획을 취소하게 했다.

us	made	the heavy rain	our plans	cancel
우리	~하게 했다	폭우	우리의 계획	취소하다

-- .

5. 그 사고는 내가 내 비행기를 놓치게 했다.

made	my flight	the accident	miss	me
~하게 했다	내 비행기	그 사고	놓치다	나

-- .

VOCABULARY

집, 주택

house

반짝이다; 반짝거림

sparkle

은색의

silver

금색의

gold

나무

tree

색깔

color

냄새 나다, 냄새 맡다; 냄새

smell

굽다

bake

쿠키

cookie

돕다

help

자르다

cut

꾸미다

decorate

칠면조

turkey

(음식을) 만들다

dress

킥킥거리다

giggle

저녁

evening

저녁 식사

dinner

식당

dining room

VOCABULARY QUIZ

1 그림에 맞는 단어를 퍼즐에서 찾아 표시하고 단어를 써 보세요.

h	u	s	i	l	v	e	r	o	r	z
e	j	y	p	l	m	a	s	v	o	c
l	f	a	a	s	t	d	q	x	w	o
p	n	x	p	c	h	z	o	w	v	o
k	m	m	e	v	f	d	c	q	i	k
t	m	p	v	n	e	e	o	f	j	i
b	a	k	e	b	r	j	l	i	i	e
n	i	k	n	k	o	g	o	l	d	y
k	q	k	i	z	t	m	r	d	n	s
c	p	s	n	k	d	x	u	n	z	p
h	d	a	g	i	t	u	r	k	e	y

2 그림에 맞는 단어를 연결하고 빈칸에 알맞은 알파벳을 넣어 보세요.

 •

• d _ _ _ ng room

 •

• _ ec _ _ ate

 •

• sp _ _ _ l _

3 글자를 바르게 배열하여 단어를 완성해 보세요.

h u e o s

u c t

l l s e m

r s s d e

_____

_____

_____

_____

r e t e

e d n r n i

g g e l i g

d l g o

_____

_____

_____

_____

1 이야기의 순서에 맞게 그림을 배열해 보세요.

a

Henry helped his mother decorate cookies.

b

The day before Christmas, Henry's parents cooked a lot.

c

Henry's family always ate a fancy dinner for Christmas Eve.

d

Henry giggled, thinking of his father "dressing" the turkey.

2 다음 질문에 알맞은 답을 선택해 보세요.

1) What did Henry's parents do the day before Christmas?

    a. They invited their neighbors to their house.

    b. They always cooked a lot.

    c. They did not do anything special.

2) What did Henry's mother do with the baked cookies?

    a. She gave a lot of them away.

    b. She threw most of them away.

    c. She fed them to Mudge.

3) What did Henry think about his father's preparing the turkey?

    a. It was horrible.

    b. It was sad.

    c. It was funny.

3 책의 내용과 일치하면 T, 그렇지 않으면 F를 적어 보세요.

1) The house smelled bad on the day before Christmas. _____

2) Henry's father took a long time "dressing" the turkey. _____

3) There was nothing fancy about Christmas Eve dinner. _____

PATTERN DRILL

Henry helped his mother cut them.
헨리는 엄마가 그것들을 자르는 것을 도왔다.

크리스마스 전날, 헨리의 가족은 하루 종일 요리를 했어요. 헨리도 엄마가 쿠키 만드는 것을 도왔지요. 이렇게 "-이 ~하는 것을 돕다"라고 말할 때는 help 다음에 도움을 받는 대상을 먼저 쓰고, 동작을 나타내는 표현을 원래 모습 그대로 써요.

help + [대상] + [동작]: −이 ~하는 것을 돕다

His parents help him study.
그의 부모님은 그가 공부하는 것을 돕는다.

I help my parents do the chores.
나는 내 부모님이 집안일을 하는 것을 돕는다.

Her friends helped her find the book.
그녀의 친구들은 그녀가 그 책을 찾는 것을 도왔다.

He helped me move to a new house.
그는 내가 새집으로 이사하는 것을 도왔다.

우리말과 뜻이 통하도록 네모 안에 들어 있는 말을 바르게 배열해 보세요.

1. 나는 내 아버지가 요리하는 것을 돕는다.

cook	I	my father	help
요리하다	나	내 아버지	돕다

I help _____

2. 우리는 그녀가 짐을 싸는 것을 돕는다.

pack	her	help	we
짐을 싸다	그녀	돕다	우리

_____

3. 내 어머니는 내가 옷을 입는 것을 도왔다.

get dressed	my mother	me	helped
옷을 입다	내 어머니	나	도왔다

_____

4. 그는 우리가 방을 정리하는 것을 도왔다.

helped	the room	us	he	tidy up
도왔다	방	우리	그	정리하다

_____

꼭 기억하세요

help + 대상 + 동작에서 동작을 나타내는 표현 앞에 to를 쓰기도 해요.
help + 대상 + 동작 = help + 대상 + to 동작

I helped him find his dog. = I helped him to find his dog.
나는 그가 그의 개를 찾는 것을 도왔다.

73

VOCABULARY

차려입다, 변장하다

dress up

화려한

fancy

밝은

bright

식탁, 탁자

table

빛나는

shiny

접시

dish

윗면, 꼭대기

top

초록색의

green

촛대

candlestick

가운데

center

옮기다 (과거형 carried)

carry

음식

food

먹다

eat

서로

each other

듣다

hear

초대하다

invite

부모님

parents

추가의

extra

VOCABULARY QUIZ

1 알파벳을 연결해서 단어를 만들고, 알맞은 그림과 연결해 보세요.

(f) a o h t

(t) n

r g r

(b) i c a

t y p

(e) x

2 빈칸에 알맞은 알파벳을 넣어 단어를 완성해 보세요.

d _ _ s _ up   _ _ t   c _ _ _ y   t _ _ l _

f _ _ d   p _ r _ n _ s   e _ _ h other   h _ _ r

3 그림을 보고 알맞은 단어를 넣어 퍼즐을 완성해 보세요.

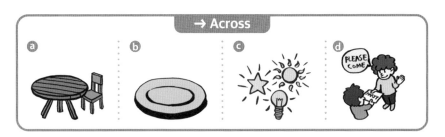

→ Across

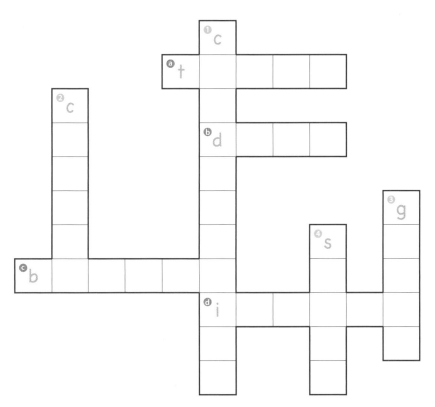

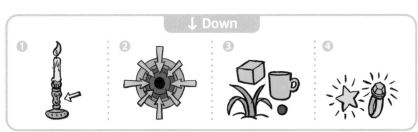

↓ Down

WRAP-UP QUIZ

1 이야기의 순서에 맞게 그림을 배열해 보세요.

a

Henry's parents set the table for the fancy dinner.

b

Mudge was crying from Henry's room.

c

Henry and his parents put on fancy clothes for the dinner.

d

Henry and his parents felt pity for Mudge.

 ...▶ ...▶ ...▶

2 다음 질문에 알맞은 답을 선택해 보세요.

1) What did Henry's father put on the table?

    a. A shiny white cloth

    b. A bright red cloth

    c. A dark green cloth

2) What happened when Henry's family started eating?

    a. Mudge cried because he wanted to be with the family.

    b. Henry spilled some food on the floor.

    c. Henry's parents started arguing.

3) What happened when Henry's family felt pity for Mudge?

    a. They all ignored Mudge.

    b. Henry's father went to get an extra plate for Mudge.

    c. Henry got up to get some snacks for Mudge.

3 책의 내용과 일치하면 T, 그렇지 않으면 F를 적어 보세요.

1) Henry's family liked to dress up except for Henry.　　＿＿＿

2) Henry's mother put two green candlesticks on the table.　　＿＿＿

3) Mudge was not invited to the fancy dinner.　　＿＿＿

유용한 영어 표현

Henry and his parents could hear Mudge crying.
헨리와 그의 부모님은 머지가 우는 것을 들을 수 있었다.

식사를 하려는 순간, 헨리와 부모님은 머지가 우는 것을 들었어요. 이렇게 어떤 소리가 들릴 때, **hear** 다음에 사람이나 사물 등의 대상을 먼저 쓰고 동작을 나타내는 표현을 써서 **"-이 ~하는 것을 듣다"**라고 말할 수 있어요. 머지가 방에서 계속 울고 있었던 것처럼, 동작이 계속되는 것을 강조하고 싶을 때는 동작 표현에 ing를 붙여요.

hear + [대상] + [동작]ing : -이 ~하는 것을 듣다

I hear the phone ringing.
나는 전화가 울리는 것을 듣는다.

They hear the teacher calling their names.
그들은 선생님이 그들의 이름을 부르는 것을 듣는다.

She heard him groaning.
그녀는 그가 끙끙거리는 것을 들었다.
＊ 지나간 일에 대해 말할 때 hear는 heard로 변해요.

Herny heard his parents coming up the stairs.
헨리는 그의 부모님이 계단을 올라오는 것을 들었다.

우리말과 뜻이 통하도록 네모 안에 들어 있는 말을 바르게 배열해 보세요.

1. 나는 종이 울리는 것을 듣는다.

the bell	hear	ringing	I
종	듣다	울리는	나

I hear _____ .

2. 우리는 학교 합창단이 노래하는 것을 듣는다.

singing	the school choir	we	hear
노래하는	학교 합창단	우리	듣다

_____ .

3. 그는 그의 친구들이 속삭이는 것을 들었다.

heard	his friends	he	whispering
들었다	그의 친구들	그	속삭이는

_____ .

4. 그들은 차 한 대가 다가오는 것을 들었다.

they	approaching	heard	a car
그들	다가오는	들었다	차 한 대

_____ .

5. 나는 창문들이 바람에 덜컹거리는 것을 들었다.

the windows	I	in the wind	rattling	heard
창문들이	나	바람에	덜컹거리는	들었다

_____ .

VOCABULARY

어머니

mother

채우다

fill

풀어 주다

let out

방

room

식탁, 탁자

table

음식

food

바닥

floor

초

candle

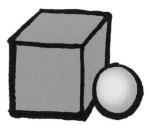

옆에

beside

화려한

fancy

식당

dining room

옆에

by

촛불

candlelight

즐거운

merry

~을 보다

look at

재채기하다

sneeze

칠면조

turkey

웃다

laugh

1 그림에 맞는 단어를 퍼즐에서 찾아 표시하고 단어를 써 보세요.

t	a	b	l	e	v	s	r	f	v	n
v	v	q	x	x	h	n	s	k	s	n
u	e	m	o	t	h	e	r	o	y	v
z	p	n	m	u	t	e	e	r	h	d
m	x	h	p	p	a	z	e	f	o	c
f	a	n	c	y	k	e	z	l	t	a
i	t	e	u	t	b	y	v	o	o	n
l	e	v	r	x	p	r	q	o	d	d
l	o	i	d	o	r	l	l	r	r	l
t	s	b	i	j	o	j	e	b	j	e
b	e	s	i	d	e	t	u	s	w	z

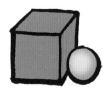

_____   _____   _____   _____

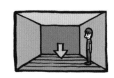

_____   _____   _____   _____

2 그림에 맞는 단어를 연결하고 빈칸에 알맞은 알파벳을 넣어 보세요.

 •

• ___k at

 •

• l __ __ out

 •

• c _ nd _ eli __ t

3 글자를 바르게 배열하여 단어를 완성해 보세요.

o r o m   t y k e u r   o d o f   n i d g i n

    room

_____   _____   _____   _____

r y r m e   y b   l h g a u   e b a t l

_____   _____   _____   _____

WRAP-UP QUIZ

1 이야기의 순서에 맞게 그림을 배열해 보세요.

a

Mudge joined Henry and his
parents for the dinner.

b

Henry's family put some food
on the plate for Mudge.

c

Mudge sneezed at Henry and
spat some turkey.

d

Mudge had his fancy dinner by
candlelight in the dining room.

2 다음 질문에 알맞은 답을 선택해 보세요.

1) Where did Henry's father put the plate for Mudge?

    a. On the table

    b. On the floor

    c. On the chair

2) What did Mudge do with his food on the plate?

    a. He sniffed at it but did not eat it.

    b. He ate it as fast as he could.

    c. He just looked at it.

3) What happened when Henry said "Merry Christmas" to Mudge?

    a. Mudge sneezed at Henry.

    b. Mudge started eating Henry's food.

    c. Mudge wagged his tail.

3 책의 내용과 일치하면 T, 그렇지 않으면 F를 적어 보세요.

1) Henry let Mudge out of his cage.   _____

2) Henry's mother held two candles beside Mudge's plate.   _____

3) Mudge ate his food very slowly.   _____

PATTERN DRILL

Henry's family filled the plate with food.
헨리의 가족은 그 접시에 음식을 담았다.

헨리의 방에서 홀로 울고 있었던 머지. 그런 머지가 안쓰러워진 헨리의 가족은 머지를 위해 여분의 접시에 음식을 채우기 시작했지요. 이렇게 어디에 무언가를 담거나 채운다고 말할 때는 fill 다음에 어디에 채우는지 쓰고, with와 함께 무엇을 채우는지 이어서 써요.

fill + [사물/공간] + with + [대상] : ―에 ~을 채우다
―을 ~으로 채우다

We fill the balloon with air.
우리는 풍선에 공기를 채운다.

I fill my bag with books.
나는 내 가방을 책들로 채운다.

He filled the cup with juice.
그는 컵에 주스를 채웠다.

She filled the basket with cookies.
그녀는 바구니를 쿠키들로 채웠다.

우리말과 뜻이 통하도록 네모 안에 들어 있는 말을 바르게 배열해 보세요.

1. 나는 냄비에 우유를 채운다.

the pan	fill	milk	with	I
냄비	채우다	우유	~로	나

I fill

2. 그녀는 상자를 꽃들로 채웠다.

with	flowers	the box	she	filled
~로	꽃들	상자	그녀	채웠다

3. 그는 욕조에 물을 채웠다.

water	the bathtub	filled	he	with
물	욕조	채웠다	그	~로

4. 우리는 그 방을 선물들로 채운다.

we	fill	presents	the room	with
우리	채우다	선물들	그 방	~로

5. 내 부모님은 내 마음을 사랑으로 채웠다.

my parents	love	with	filled	my heart
내 부모님	사랑	~로	채웠다	내 마음

89

VOCABULARY

따뜻한

warm

소원; 바라다

wish

아버지

father

평화

peace

지구

earth

매우 좋아하는

favorite

농구

basketball

이기다

win

삶, 생명

life

궁금해하다

wonder

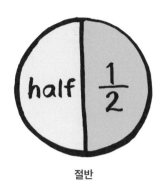

절반

half

벽난로

fireplace

소파

couch

껴안다; 포옹

hug

눕다 (과거형 lay)

lie

타닥 하고 소리 내다, 금이 가다

crack

불꽃

flame

어두운

dark

VOCABULARY QUIZ

1 알파벳을 연결해서 단어를 만들고, 알맞은 그림과 연결해 보세요.

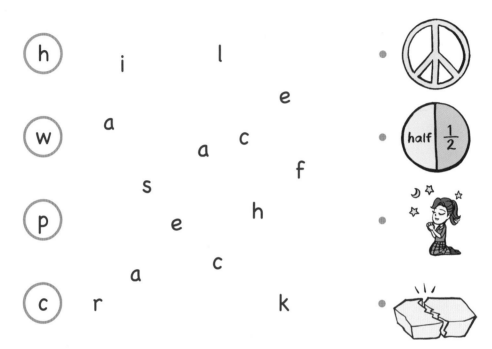

h   i   l

w   a   a   c   e   f

s   h

p   e

c   r   a   c   k

2 빈칸에 알맞은 알파벳을 넣어 단어를 완성해 보세요.

f _ th _ _   l _ _   ear _ _   b _ _ ketb _ ll

f _ _ e _ l _ ce   w _ _   w _ _ m   d _ _ k

3 그림을 보고 알맞은 단어를 넣어 퍼즐을 완성해 보세요.

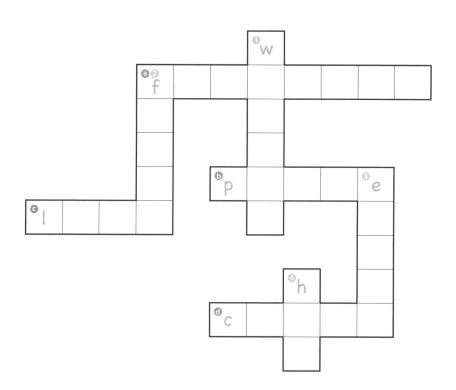

WRAP-UP QUIZ

1 이야기의 순서에 맞게 그림을 배열해 보세요.

a

Henry's family and Mudge rested in front of the fireplace.

b

Henry's family and Mudge enjoyed walks on winter nights.

c

Henry and Mudge lay by the fireplace after their walk.

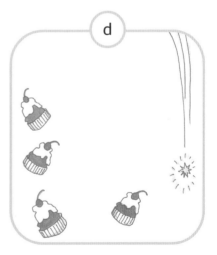

d

Henry and his parents made a wish upon a shooting star.

 ⋯▶ ⋯▶ ⋯▶

2 다음 질문에 알맞은 답을 선택해 보세요.

1) What did Henry's family love to see on their walks?

    a. The winter stars in the sky

    b. The snowmen in yards

    c. The muddy puddles on the roads

2) What did Henry think Mudge would wish for?

    a. Mudge would wish for Henry's crackers.

    b. Mudge would wish for one of Henry's dirty socks.

    c. Mudge would wish for half of Henry's chocolate pudding.

3) What did NOT happen when Henry's family and Mudge sat by the fire?

    a. They just watched the flames.

    b. They talked about the things they saw on the walks.

    c. They rested by the fireplace quietly.

3 책의 내용과 일치하면 **T**, 그렇지 않으면 **F**를 적어 보세요.

1) Henry's family and Mudge felt happy on their walks. _____

2) Henry's father did not make a wish. _____

3) Henry's family just watched the flames. _____

They felt happy **on these walks.**
그들은 이런 산책을 할 때 행복하다고 느꼈다.

겨울밤 하늘의 달과 별을 보며 산책을 하는 헨리의 가족. 헨리의 가족은 이 순간 행복하다고 느꼈어요. 이렇게 **"~이라고 느끼다"** 또는 **"(기분이) ~하다"**라고 말할 때는 feel 다음에 감정을 나타내는 표현을 써요.

feel + [감정]: ~이라고 느끼다

I feel refreshed **after a walk.**
나는 산책 후에 기분이 상쾌하다.

They feel nervous **in front of the police officers.**
그들은 경찰관들 앞에서 초조해한다.

She felt dizzy **in the morning.**
아침에 그녀는 어지러웠다.
*지나간 일에 대해 말할 때 feel은 felt로 변해요.

He felt lonely **after the fight.**
그는 싸운 후에 외롭다고 느꼈다.

우리말과 뜻이 통하도록 네모 안에 들어 있는 말을 바르게 배열해 보세요.

1. 나는 몹시 화가 난다.

mad	feel	I
몹시 화가 난	느끼다	나

I feel -- .

2. 그들은 평화롭다고 느낀다.

peaceful	feel	they
평화로운	느끼다	그들

-- .

3. 그녀는 조금 걱정스러웠다.

a little worried	felt	she
조금 걱정스러운	느꼈다	그녀

-- .

4. 우리는 그 소식에 당황했다.

embarrassed	felt	at the news	we
당황하는	느꼈다	그 소식에	우리

-- .

5. 그는 그 선물에 만족스럽다고 느꼈다.

he	satisfied	felt	with the present
그	만족스러운	느꼈다	그 선물에

-- .

ANSWERS

Part 1

Vocabulary Quiz

1.

a	s	h	y	u	d	s	u	u	w	n
d	q	v	k	l	l	h	o	u	b	i
b	o	o	t	y	y	o	t	s	d	g
c	w	g	v	v	d	u	k	p	t	h
h	c	u	p	a	n	t	s	x	m	t
t	l	j	x	b	v	h	o	l	o	l
x	o	f	y	w	i	n	t	e	r	u
o	t	n	s	d	f	t	j	n	n	n
g	h	x	b	i	g	v	h	u	i	u
c	e	a	c	h	m	k	n	a	n	a
p	s	h	w	s	m	j	x	d	g	d

2.

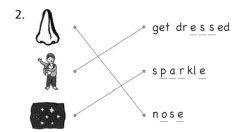

get dr e s s ed

sparkle

nose

3. window / mitten / much / boot

scarf / bark / mask / snow

Wrap-up Quiz

1. c ⟶ b ⟶ a ⟶ d

2. 1) b   2) c   3) b

3. 1) T   2) T   3) F

Pattern Drill

1. Her parents let her walk to school.

2. I let my hair grow long.

3. He let his shoes dry.

4. The teacher let me answer.

5. My father let me watch TV.

Part 2

Vocabulary Quiz

1.

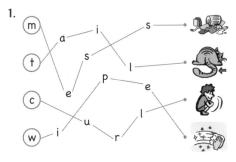

2. neighborhood / angel / dig / wag

blanket / drippy / snowball / wet

3.

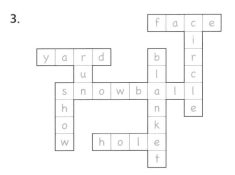

Wrap-up Quiz

1. c ⟶ b ⟶ d ⟶ a

2. 1) c   2) a   3) b

3. 1) F   2) T   3) F

Pattern Drill

1. My friends make me laugh.

2. The songs make her fall asleep.

3. The smell made Mudge drool.

4. The heavy rain made us cancel our

plans.

5. The accident made me miss my flight.

Part 3

Vocabulary Quiz

1.

2.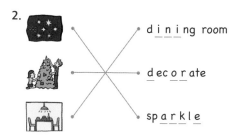

di<u>n</u>i<u>n</u>g room

dec<u>o</u>r<u>a</u>te

sp<u>a</u>r<u>k</u>l<u>e</u>

3. house / cut / smell / dress

    tree / dinner / giggle / gold

Wrap-up Quiz

1. b ⋯→ a ⋯→ d ⋯→ c

2. 1) b   2) a   3) c

3. 1) F   2) T   3) F

Pattern Drill

1. I help my father cook.

2. We help her pack.

3. My mother helped me get dressed.

4. He helped us tidy up the room.

Part 4

Vocabulary Quiz

1.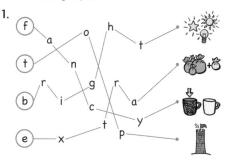

2. dress up / eat / carry / table

    food / parents / each other / hear

3.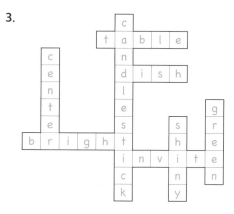

Wrap-up Quiz

1. c ⋯→ a ⋯→ b ⋯→ d

2. 1) b   2) a   3) b

3. 1) F   2) T   3) T

Pattern Drill

1. I hear the bell ringing.

2. We hear the school choir singing.

3. He heard his friends whispering.

4. They heard a car approaching.

5. I heard the windows rattling in the wind.

ANSWERS

Part 5

Vocabulary Quiz

1.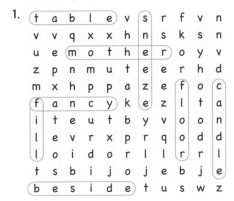

2.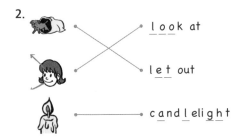

l <u>oo</u>k at

l <u>e</u>t out

c a n d l e l i <u>g</u> h t

3. room / turkey / food / dining room

merry / by / laugh / table

Wrap-up Quiz

1. b ⟶ a ⟶ d ⟶ c

2. 1) b   2) b   3) a

3. 1) F   2) F   3) F

Pattern Drill

1. I fill the pan with milk.

2. She filled the box with flowers.

3. He filled the bathtub with water.

4. We fill the room with presents.

5. My parents filled my heart with love.

Part 6

Vocabulary Quiz

1.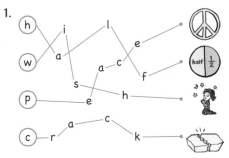

2. father / lie / earth / basketball

fireplace / win / warm / dark

3.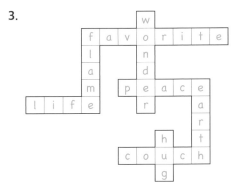

Wrap-up Quiz

1. b ⟶ d ⟶ c ⟶ a

2. 1) a   2) c   3) b

3. 1) T   2) F   3) T

Pattern Drill

1. I feel mad.

2. They feel peaceful.

3. She felt a little worried.

4. We felt embarrassed at the news.

5. He felt satisfied with the present.